토끼와 거북이

글·그림 : 헬런 워드 / 옮김 : 변은숙

찍은날 / 펴낸날 : *2002년*

펴낸이 : 변옥선

펴낸곳 : 여원미디어

주 소 : 서울시 서초구 서초동1420-6 통일시대연구소 빌딩

전화번호 : 02) 523-6780 / 팩스 : 02)588-8060

e-mail kkchild@unitel.co.kr

출판등록 : 1998년 8월 7일

편집 · 디자인 고문 : 김의환 (동아대학교 산업미술대학 편집디자인교수)
한백진 (단국대학교 예술대학 시각디자인과 교수)

편집 책임 : 이연수

편집 디자인 : 환미디어 / 강 일, 송나경, 허남주

제작 책임 : 최종규

THE HARE AND THE TORTOISE

by Helen Ward /Text · Illustration
© 1998 First published in Great Britain by The Templar Company plc

글·그림 : 헬런 워드

영국 브라이튼 예술학교를 졸업한 후로 10여년 동안 어린이들을 위해 그림을 그리고 글을 써 왔다. 현재 글로세스터셔에 있는 시골집에서 글 쓰기와 그림 그리기에 전념하고 있다.

토끼와 거북이

글·그림 : 헬런 워드 / 옮김 : 변은숙

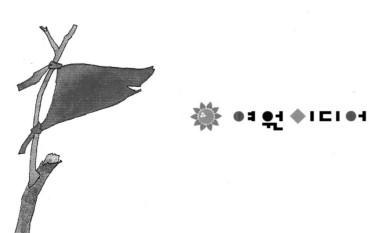

여원미디어

옛날 옛날에 아주아주 빠른 **토끼**와
아주아주 느린 **거북이**가 살고 있었습니다.

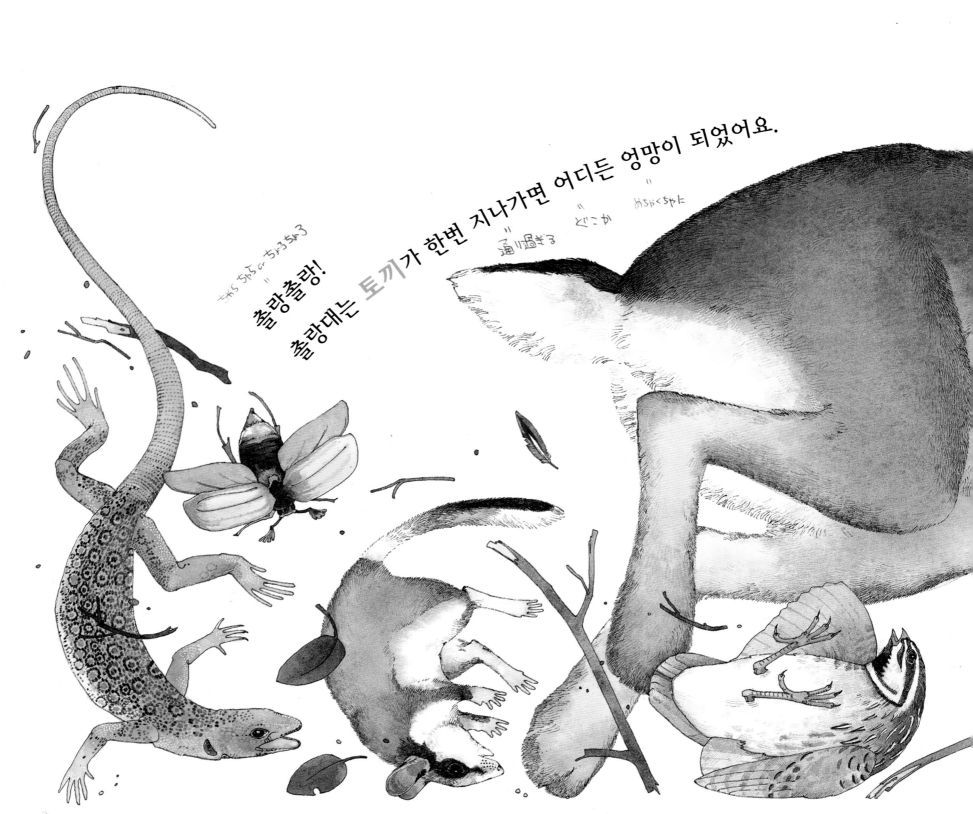

ちゃら ちゃらっ ちょろちょろ

촐랑촐랑!

촐랑대는 **토끼**가 한번 지나가면 어디든 엉망이 되었어요.

"通り過ぎる

どこか

あらかくちゃに

でも.しかし　　　　　　　　　　　深い

그러나 **거북이**는 생각이 깊고,

늘 조심스러웠지요.

いつも　操心　消えなくなる
ずっと　あやまちがないように
　　　　　気をつけること

어느 날, **토끼**는 까불까불 달려가다가 그만 **거북이**와 꽝!
부딪쳐서 뾰족뾰족 가시나무에 쳐박히고 말았습니다.

토끼는 화가 나서
거북이에게 고래고래 소리쳤어요.
　"야! 이 느림보, 멍청아! 다 너 때문이야."

그 소리가 얼마나 컸던지 동물들이 다 몰려왔습니다.
거북이는 토끼에게 창피를 당했지만 묵묵히 있었지요.

그 대신 **거북이**는 **토끼**에게 달리기 시합을 하자고 말했습니다.
토끼는 깔깔대며 동물 친구들 앞에서 **거북이**를 비웃었지요.

"**토끼**와 **거북이**가 달리기 시합을 한대!"

그 이야기는 멀리멀리 퍼져 나가, 곳곳에서 동물들이 모여들었습니다.

동물들은 어디 어디를 달려야 하는지 표시를 해 놓기 시작했어요.

그리고 심판으로 두더지를 뽑았습니다. 드디어 달리기 시합을 하는 날!

심판이 큰 소리로 말했어요.
"차렷! 준비… 땅!"
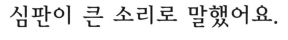는 긴 발로 깡충깡충 뛰어가
어느 새 눈앞에서 사라졌습니다.

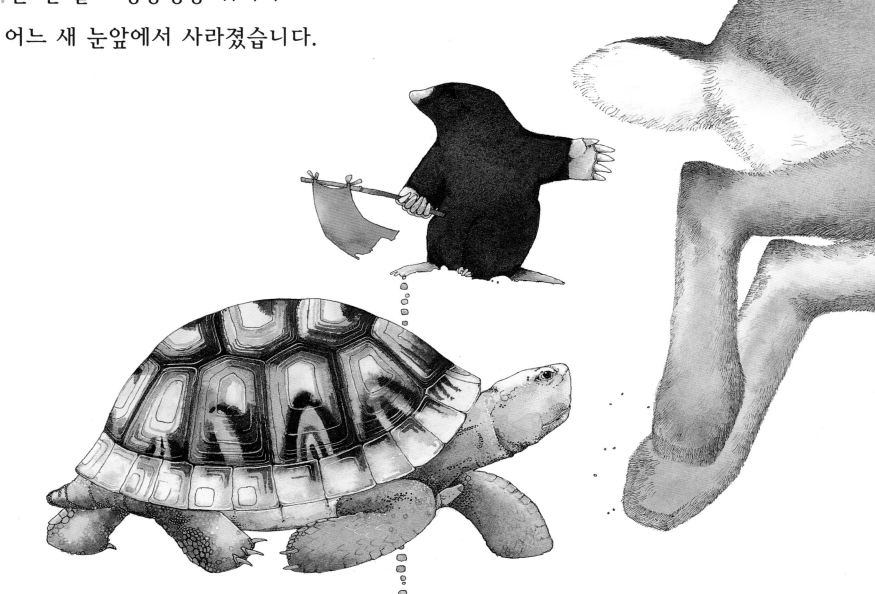

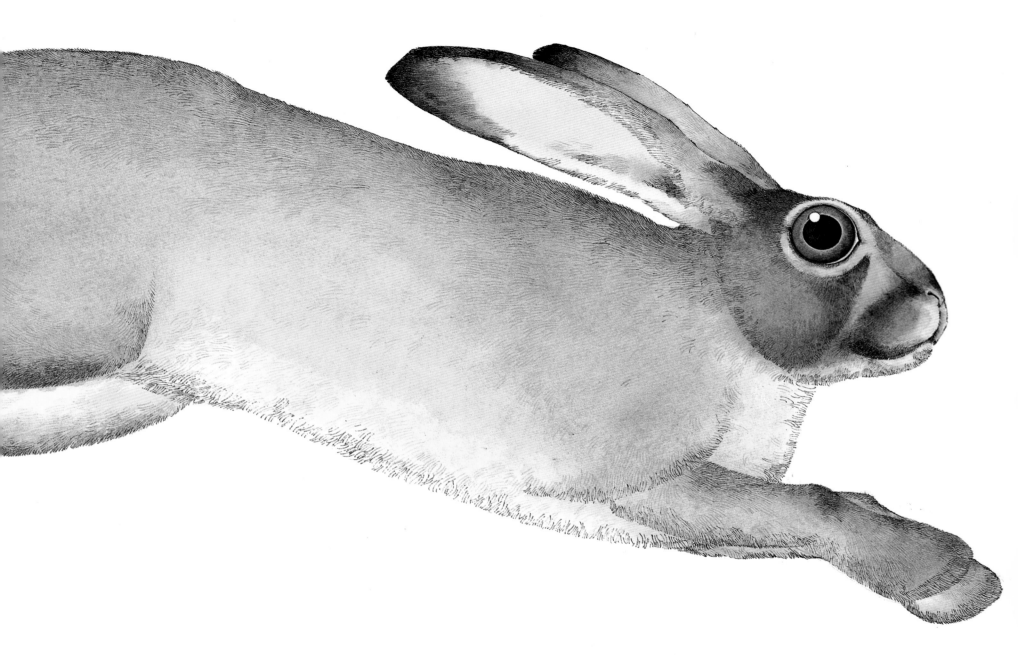

거북이도 길을 따라 엉금엉금 열심히 기어갔습니다.
그러나 토끼에게 훨씬 뒤지게 되었지요.

금세 강에 도착한 **토끼**는

펄쩍 뛰어…

징검다리에서…

다음 징검다리로...

펄쩍펄쩍! 멀리 강둑을 향해 뛰어갔습니다.

그런데 이걸 어쩌죠. 토끼는 그만 길을 잘못 들고 말았어요.

그러나 거북이는 아주 쉽게 강을 건너갔답니다.

앗차! 토끼는 가시 덩굴이 있는 아주 이상한 숲에 와 있었습니다.

이상한 숲을 간신히 빠져 나온 토끼는
온몸이 긁히고 지쳐 있었어요.

그래서 잠시 쉬었다 가기로 마음먹었습니다.

쿨쿨…! **토끼**는 안심하고 깊은 잠에 빠져 들었습니다.
오랜 시간을 달려왔기 때문에
거북이를 멀리 따돌렸을 거라고 생각했으니까요.

잠에서 깨어난 토끼는 거북이가 어디쯤 왔나 뒤를 돌아보았습니다.
까마득히 멀리 있는지 거북이는 아예 보이지도 않았어요.
토끼는 흐뭇해하며 밭에 있는 야채를 천천히 맛있게…
오랫동안 점심을 먹었지요.

그런데…

점심을 다 먹어 갈 때쯤, 멀리서 동물들의 응원 소리가 들려 왔어요.
아뿔싸! 토끼는 그만 깜짝 놀라고 말았죠.

글쎄, **거북이**가 결승선 앞으로 땀을 뻘뻘 흘리며
기어가고 있는 게 아니겠어요.
토끼는 이를 악물고 달리기 시작했습니다.

더 빨리, 더 빨리! 조금만 더, 조금만 더!

그러나 아주 손톱만큼의 차이로 **거북이**가 먼저 결승선에 도착하고 말았습니다.

게으름 피우지 않고 열심히 기어 온 **거북이**가 결국 승리한 것이죠.

숨도 쉬지 않고 달려온 토끼는…

하늘이 노랗고, 다리가 후들후들 떨려… 픽!

그만 전보다 더 뾰족뾰족한 가시 덩굴에 쓰러지고　말았습니다.

그 뒤로,
토끼는 거북이만 보면
입을 꾹 다물게
되었답니다.

다양한 동물들

옛날 옛날에 아주아주 빠른 산토끼와…

산토끼들은 긴 뒷다리 때문에 모두 달리기 선수입니다.
이 책에 그려진 갈색산토끼는 세계 여러 지역에서 볼 수 있는데,
원산지인 유럽에서 미국, 오스트레일리아, 뉴질랜드로 소개되어
식량과 스포츠를 위한 사냥감이 되고 있습니다.
많은 다른 작은 포유동물과는 달리 산토끼는 굴을 파지 않고, 자신의 예리한
경계심과 빠른 발로 위험을 피해 달아납니다. 다 자란 산토끼가 세상에서
가장 빠른 경주마보다도 더 빠른 시속 70km까지 속력을 낼 수 있는 것을
보면 알 수 있습니다.

…그리고 아주아주 느린 거북이

지구상에서 가장 느린 동물은 아니지만, 거북은 느린 것으로는 오랫동안
그 명성을 잃지 않고 있습니다. 대부분은 시속 360m밖에 기어다니지 못합니다.
즉, 우리의 주인공이 1km를 움직이려면 3시간이나 걸리는 셈이지요!
그럼, 적으로부터 위협을 받을 땐 어떻게 할까요?
제대로 도망치지도 못할 텐데.
그러나 너무 걱정하지 마세요. 적이 나타났다 싶으면, 놀란 거북은

갑옷 같은 등껍질 속에 머리와 발을 쑥 집어넣고 꼼짝도 하지 않는답니다.
이 책에 그려진 거북은 애완용으로 가장 흔하게 팔리는 헤르만거북입니다.

촐랑촐랑! 촐랑대는…

매우 급한 산토끼를 피할 만큼 빠른 동물은 없습니다.
그게 식용 달팽이일 경우엔 더욱 그렇죠.
식용 달팽이는 4.5m를 이동하는 데 자그마치 1시간이 걸린답니다.
지구상에서 가장 느린 동물 중 하나이므로 조금도 놀랄 일이 아니지요.

거북이는 생각이 깊고…

거북은 망을 보는 난쟁이몽구스에게 등을 빌려 줄 만큼 참으로 사려 깊은
동물입니다. 몽구스는 종종 원산지인 아시아에서 애완용으로 길러지며,
빠른 몸놀림으로 뱀을 잡는 동물입니다.

곳곳에서…

산토끼가 소리치는 바람에 많은 동물들이 모여들었습니다.
각지에서 모여든 동물 중에 세상에서 가장 빨리 나는 새는 송골매입니다.

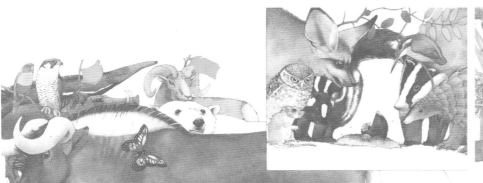

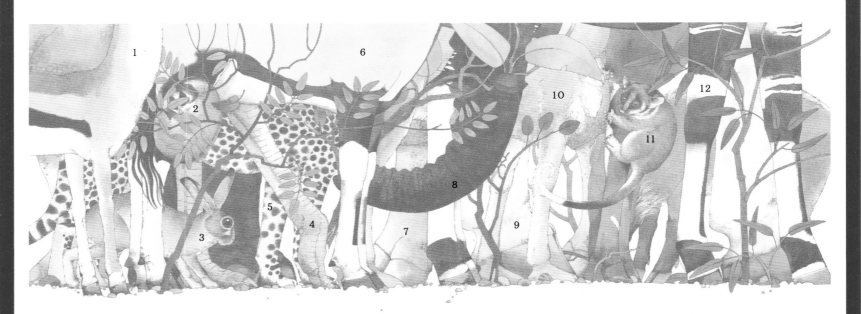

하늘의 사냥꾼으로 유명한 송골매는 날카로운 발톱으로 작은 새에게
일격을 가해 땅으로 낚아채며, 시속 131km 혹은 그 이상의 속력으로
하늘을 누빕니다! 송골매와는 반대로 검은호랑나비는 1분에 300번 정도
날갯짓을 하는데, 곤충 세계에서 가장 느리답니다.

강에 도착하니…

거북처럼, 하마도 느리고 게으른 것으로 명성이 나 있습니다.
진짜로 하마는 하루 온종일 늘어지게 쉬면서 보내지만,
원할 때 특히 하천 지대를 따라 달릴 때는 아주 재빠른 모습을 보이기도
합니다. 그러나 강에 들어가 물 위로 눈과 콧구멍만 쑥 내민 채 더위를
식히거나 눈에 잘 띄지 않는 갈대밭에 목까지 집어 넣고 서서 자고 있는
모습을 가장 흔히 볼 수 있습니다.

아주 이상한 숲

위 그림의 곱게 줄지어 선 다리들 중에는 지구상에서 가장 빠른 동물들이
있습니다. 치타는 육지에서 가장 빠른 포유동물인데, 아프리카 평야에서
먹이를 사냥할 때는 시속 100km 이상을 달립니다.
치타는 새 중에서 가장 빨리 달리는 육지 새 타조와 서식지가 같습니다.
타조는 힘센 다리, 유연한 무릎, 발가락이 둘인 발로 대부분의 적을 앞지를
만큼의 빠른 속력인 시속 72km로 달릴 수 있습니다.
이 정도로 달린다면 굳이 날지 못한다고 해도 아쉬울 것은 없겠죠.
그밖의 다른 동물들도 빨리 달리기로는 내노라 하는 동물들입니다.
단, 일생 동안 느릿느릿 나뭇가지를 오르는 데 대부분의 시간을 보내는
늘보원숭이만 빼고는!

1. 톰슨가젤
2. 늘보원숭이
3. 산토끼
4. 타조
5. 치타
6. 오릭스
7. 인도코뿔소
8. 아프리카코끼리
9. 기린
10. 비쿠나
11. 주머니쥐
12. 오가피

이상한 숲을 빠져 나온 토끼

계속해서 나무숲처럼 줄지어 서 있는 다리들을 볼 수 있습니다.
영양, 뒤쥐, 기린, 브라자원숭이, 얼룩말, 에뮤 등이 있습니다.

응원 소리!

이제 우리는 경주의 마지막에 이르렀습니다! 누구나 치타가 산토끼보다
앞서 있을 거라고 생각할 거예요. 뭐니뭐니 해도 치타가 세상에서 가장 빠른
동물이니까요! 세상에서 가장 느린 동물들도 결승점에 이르렀습니다.
발가락이 셋인 나무늘보는 세상에서 가장 느린 포유동물로 기록을 세웠습니다.
시속 약 158m! 나무늘보가 1km를 이동하는 데 6시간 이상 걸린다는
이야기입니다. 이 동물은 대부분의 시간을 꼼짝도 하지 않고 있기 때문에
미세한 해초가 털 위에서 자랄 정도입니다. 그러나 나무늘보도 1km를
이동하는 데 3주나 걸리는 붉은민달팽이보다는 빠르답니다!

1. 뻐꾸기 – 시속 42km로 달리는 타조와 에뮤의 뒤를 이어 빨리 달리는
새로는 3위입니다.
2. 아르마딜로 – 아홉줄무늬 아르마딜로는 일생의 80퍼센트를 꼼짝도 하지
않고 잠만 자기 때문에, 느림보는 아니지만 잠을 가장 많이 자는 동물이라는
기록을 갖고 있습니다.
3. 치타 – 시속 115km로 달리는 육지에서 가장 빠른 포유동물.
4. 제비갈매기 – 새 중에서 26,000km로 가장 오래 난다는 기록이 있습니다.
5. 인도영양 – 시속 80km로, 치타와 미국 서부산 영양 다음으로 세 번째
빠른 포유동물.

6. 낙타 – 시속 16km로 달리는 낙타는 사막에서 가장
빨리 달리는 큰 동물들 중 하나입니다.
7. 벌새 – 벌새 중 몇 종은 1초당 90회라는 조류 세계
에서 가장 빠른 날갯짓을 합니다.
8. 두더지 – 두더지는 땅 파기 챔피언인데, 하루 동안
20m 이상 땅을 파는 두더지도 있습니다.
9. 기린 – 동물 세계에서 가장 긴 다리를 갖고 있는
기린은 시속 50km로 달릴 수 있습니다.
10. 제주왕나비 – 곤충 중에서 3,432km의 거리를
날아갈 만큼 가장 긴 여행을 할 수 있습니다.
11. 캥거루 – 단 한 번에 거의 4m를 뛰어오를 수
있으며, 시속 45km의 속력을 냅니다.
12. 발가락이 셋인 나무늘보 – 겨우 시속 158m밖에
움직이지 못하는 세상에서 가장 느린 포유동물.
13. 젠투펭귄 – 시속 27km의 초고속으로 헤엄을 치는 조류 세계에서
가장 빠른 수영 선수.
14. 붉은민달팽이 – 시속 1.8m로 세상에서 가장 느린 동물!
1km를 움직이는 데 무려 3주나 걸립니다.
15. 그리고 꼴찌로는 느리고 침착한 헤르만거북말고 누가 또 있겠어요!

엄마가 읽어 보세요

토끼와 거북이가 경주를 시작하기 전에
둘 중에 누가 이길까, 하고 아이에게
물어 봐 주세요.
아이가 호기심을 갖고 내용에 몰입할 수
있을 것입니다. 책 읽기가 끝나면, 거북이보다
훨씬 빠른 토끼가 어떻게 해서 경주에
지게 되었는지 아이 스스로 느낀 점을
이야기하도록 이끌어 주세요. 토끼의 자만심과
경솔함에 대해, 거북이의 겸손함과 끈기 있는
노력에 대해 초점을 맞추는 것이죠.
아울러 토끼의 예의바르지 못한 행동을
꼬집으며 고운말 쓰기, 어른들에게 존댓말하기,
'미안합니다' 인사하기 등 아이에게 간단한 예절
교육을 시킨다면 더욱 유익할 것입니다.

제안 하나!
느린 동물과 빠른 동물들을 비교해 놓은 책 뒤의
부록을 보면서 아이와 함께 동물들의 가상 달리기
시합을 열어 보세요.